这是我的书
It's MY BOOK
6级：300字

太阳、地球和月亮

作者：秦志宁（Zhining Chin）
配图：秦志宁（Zhining Chin）

U1002986

北京语言大学出版社
BEIJING LANGUAGE AND CULTURE UNIVERSITY PRESS

PHOENIX TREE PUBLISHING INC.

识读 热 月亮 行星
白天 晚上

句型 ……比……
当……时

字数 300字

tài yáng shì yì kē héng xīng tā shì yí gè
太阳是一颗恒星，它是一个
dà huǒ qiú tā fā chū de guāng hé rè zhào zài
大火球，它发出的光和热照在
dì qiú shang zhào zài yuè liang shang yě zhào zài qí
地球上，照在月亮上，也照在其
tā xīng xing shang
他星星上。

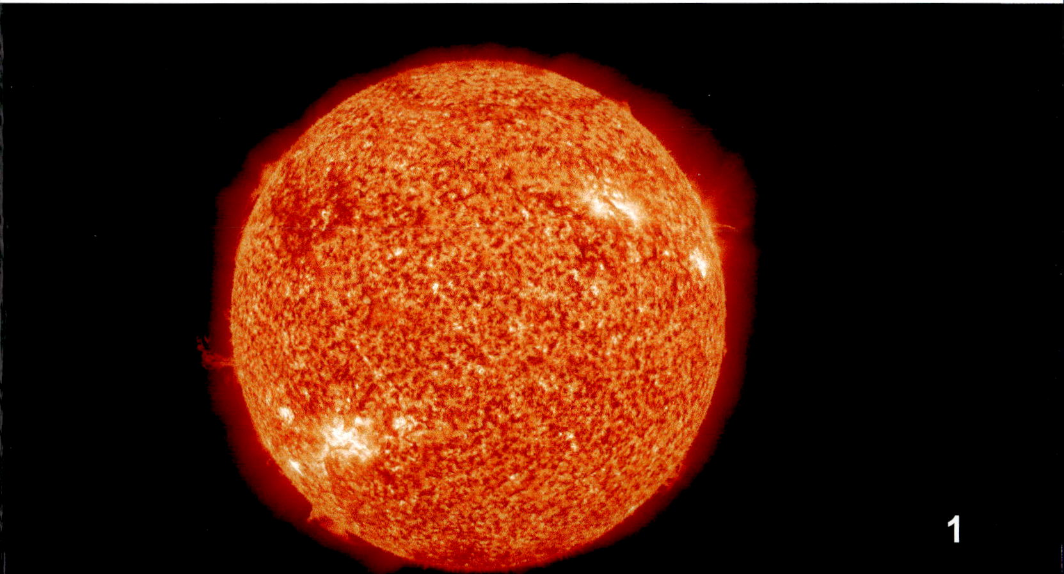

dì qiú shì tài yáng de xíng xīng, tā bǐ tài
地球是太阳的行星，它比太
yáng xiǎo de duō. dì qiú rào zhe tài yáng zhuàn. dì
阳小得多。地球绕着太阳转。地
qiú rào tài yáng zhuàn yì quān, wǒ men jiù guò le
球绕太阳转一圈，我们就过了
yì nián, yì nián yǒu sān bǎi liù shí wǔ tiān.
一年，一年有 365 天。

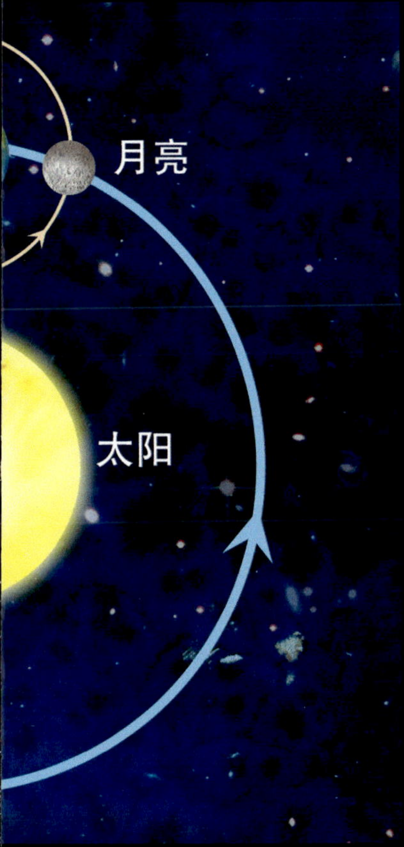

dì qiú hái huì zì jǐ cóng xī xiàng dōng zhuàn
地球还会自己从西向东转，
suǒ yǐ wǒ men kàn dào tài yáng cóng dōng bian shēng qi
所以我们看到太阳从东边升起，
cóng xī bian luò xia dì qiú zì jǐ zhuàn yì quān wǒ
从西边落下。地球自己转一圈，我
men jiù guò le yì tiān yì tiān yǒu èr shí sì xiǎo shí
们就过了一天，一天有 24 小时。

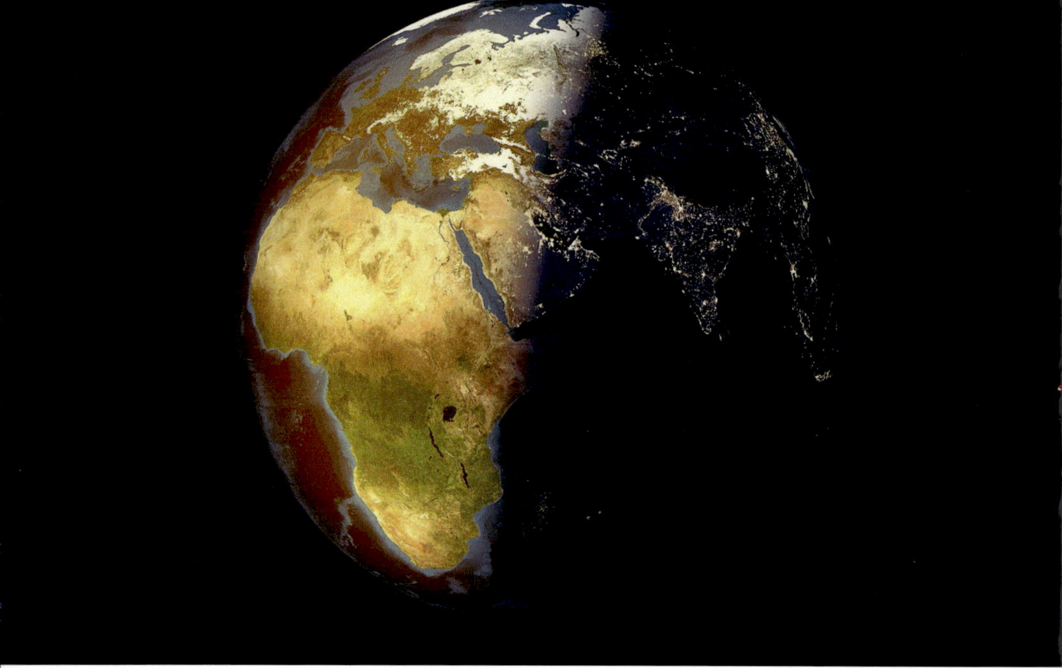

bái tiān wǒ men jiù zài dì qiú
白天，我们就在地球
miàn xiàng tài yáng de yí miàn néng kàn
面向太阳的一面，能看
jiàn tài yáng wǎn shang wǒ men
见太阳；晚上，我们
jiù zài dì qiú bèi duì
就在地球背对
tài yáng de yí miàn
太阳的一面，
kàn bu jiàn tài yáng
看不见太阳。

yuè qiú shì dì qiú de wèi xīng, tā bǐ dì
月球是地球的卫星，它比地
qiú xiǎo. yuè qiú rào zhe dì qiú zhuàn. yuè qiú rào
球小。月球绕着地球转。月球绕
dì qiú zhuàn yì quān, wǒ men jiù guò le yí gè
地球转一圈，我们就过了一个
yuè. yuè qiú zì jǐ bú huì fā guāng, tā de
月。月球自己不会发光，它的
guāng dōu lái zì tài yáng.
光都来自太阳。

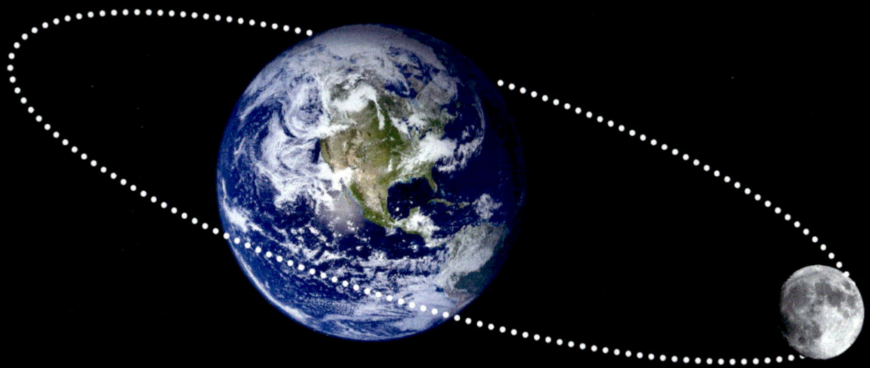

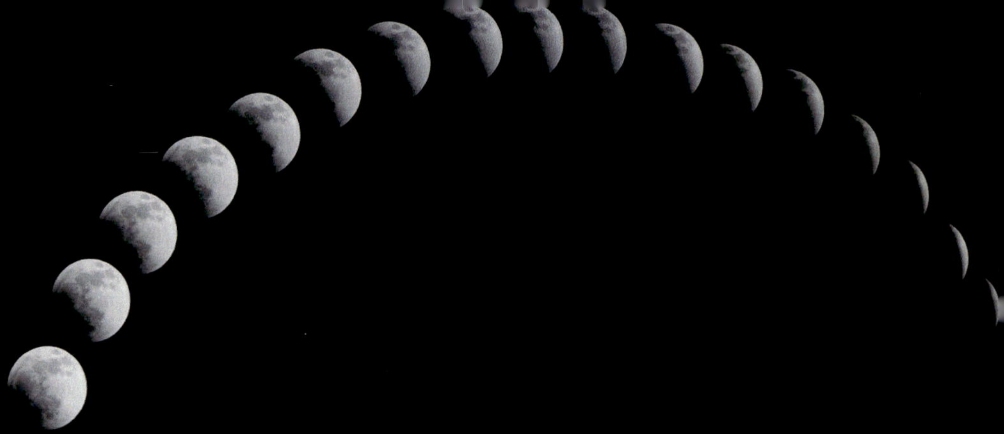

dāng yuè qiú zhuàn
当月球转
dào dì qiú hé tài yáng
到地球和太阳
zhōng jiān shí, yuè qiú
中间时，月球
cháo xiàng dì qiú de yí
朝向地球的一
miàn zhào bu dào tài yáng
面照不到太阳
guāng, wǒ men jiù kàn
光，我们就看
bu jiàn yuè qiú le
不见月球了。

dāng yuè qiú zhuàn dào dì qiú de lìng yì biān
当月球转到地球的另一边

shí yuè qiú shang yǒu tài yáng guāng de yí miàn quán
时，月球上有太阳光的一面全

bù xiàng zhe dì qiú yú shì wǒ men jiù kàn dào
部向着地球，于是我们就看到

le yuán yuán de yuè liang
了圆圆的月亮。

1 太阳是一颗恒星，它是一个大火球，它发出的光和热照在地球上，照在月亮上，也照在其他星星上。

2 地球是太阳的行星，它比太阳小得多。地球绕着太阳转。地球绕太阳转一圈，我们就过了一年，一年有 365 天。

3 地球还会自己从西向东转，所以我们看到太阳从东边升起，从西边落下。地球自己转一圈，我们就过了一天，一天有 24 小时。

4 白天，我们就在地球面向太阳的一面，能看见太阳；晚上，我们就在地球背对太阳的一面，看不见太阳。

5 月球是地球的卫星，它比地球小。月球绕着地球转。月球绕地球转一圈，我们就过了一个月。月球自己不会发光，它的光都来自太阳。

6 当月球转到地球和太阳中间时，月球朝向地球的一面照不到太阳光，我们就看不见月球了。

7 当月球转到地球的另一边时，月球上有太阳光的一面全部向着地球，于是我们就看到了圆圆的月亮。

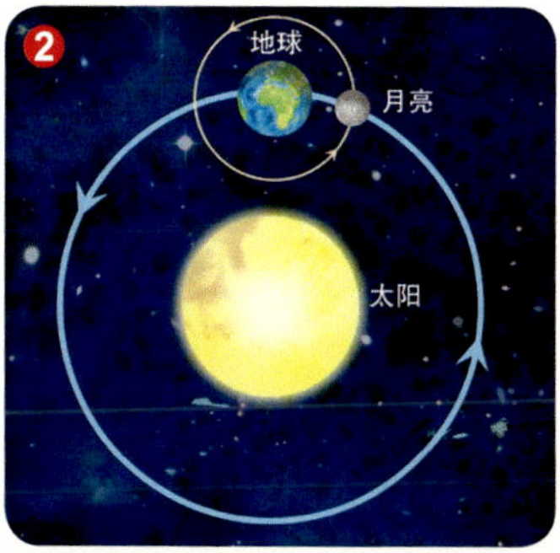
地球
月亮
太阳

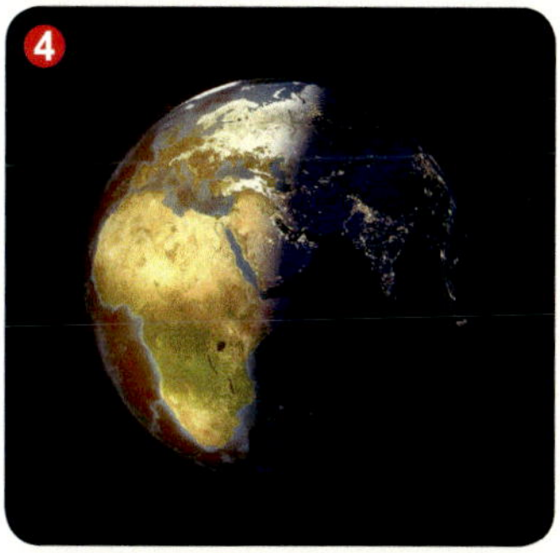

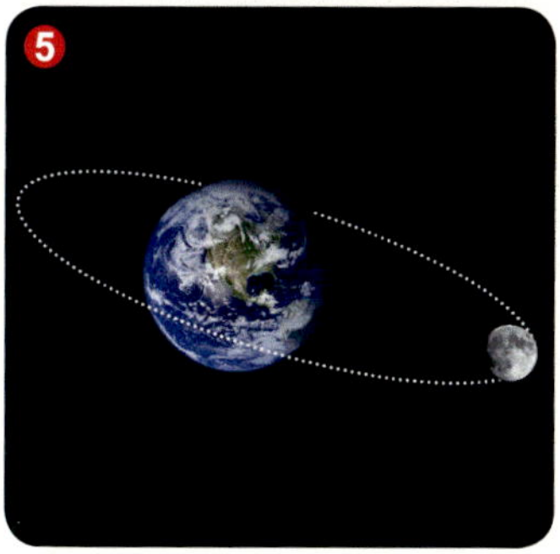

看图讲故事